Gilbert **Delahaye** ◆ Marcel **Marlier**

martine

et le prince mystérieux

Texte de Jean-Louis Marlier

CASTERMAN

Martine

Joyeuse et curieuse, Martine adore s'amuser avec ses amis et son petit chien Patapouf. Ensemble, ils découvrent le monde et vivent de véritables aventures. Une chose est sûre : avec Martine, on ne s'ennuie jamais !

Pepino

Un jeune et mystérieux garçon habitant Venise… On raconte même qu'il en serait le prince !

Patapouf

Ce petit chien est un vrai clown ! Il fait parfois des bêtises… mais il est si mignon que Martine lui pardonne toujours !

En place ! Silence… Action ! On tourne un film dans la belle ville
de Venise. Patapouf et Martine ont été choisis comme figurants.

Le cinéma, c'est amusant... au début. Mais entre deux scènes,
on s'ennuie très vite. Martine aurait préféré être là-bas, dehors,
au bord de ces canaux où il y a tant à voir.

Pendant la pause, Martine descend flâner au bord de l'eau.

Soudain...

– Eh, vous !

Pouvez-vous m'aider ? chuchote un garçon.

– Vous aider ? Mais comment ?

– Sautez dans la barque et ramez.

Martine obéit aussitôt.

— Merci, dit l'inconnu.

Vous venez de sauver la vie
du prince Pepino.
Mais ne restons pas ici.
Des bandits me
poursuivent.
Il faut attacher la barque
et s'éloigner encore.

« Un prince poursuivi par des bandits ? pense Martine. Quelle histoire ! »
Ils s'élancent alors à travers la ville, franchissent des ponts,
des escaliers… il faut de bonnes jambes pour fuir dans Venise !
– Mais fuir qui ? demande Martine. Je ne les vois pas, moi,
ces bandits !

Martine est inquiète. Pepino, lui, semble joyeux, comme s'il avait oublié la terrible menace.

De temps en temps, quelqu'un lui crie en italien : «Buongiorno, Pepino!» Et il répond d'un grand bonjour et d'un signe de la main.

– Pensez-vous que les méchants vous poursuivent encore?

lui demande Martine.

À cet instant, il se fige.

– Oui! Ils sont là-bas! murmure-t-il. Ils nous observent. Partons vite!

Les deux amis courent jusqu'à une grosse colonne.

– Vous les voyez toujours ? demande Martine en se cachant.

– Non, pour l'instant on est hors de danger. Mais restons sur nos gardes !

Sur la place, une petite fille regarde Martine avec émerveillement.

«C'est vrai qu'avec mon diadème et ma jolie robe, je ressemble

à une vraie princesse! Justement, ça me donne une idée…»

– Pourquoi ne pas échanger nos vêtements, propose-t-elle à Pepino.

Personne ne vous reconnaîtrait, habillé en fille!

Son ami devient tout rouge.

– Moi? En robe? Vous êtes folle! Je suis un prince, enfin!

– Désolée, Pepino, je ne voulais pas vous vexer...

– Venez plutôt boire un chocolat chaud, dit
le prince.

Il l'emmène dans le plus ancien café de Venise.
Un endroit magnifique !

– Zut, je n'ai pas assez d'argent, dit Pepino
en comptant ses pièces. J'ai oublié mon or
au palais…

Tous deux repartent donc sans rien boire.
« Drôle de prince… », pense Martine.

– Si vos ennemis sont si nombreux, pourquoi courir dans la ville ?
Ce serait plus sûr de vous cacher !

– C'est que… je suis à la recherche de l'homme à plumes rouges !
confie Pepino. Lui seul pourra me protéger.

– Des plumes rouges ? Ce ne serait pas cet homme, là-bas ?

– Monsieur, monsieur ! crie Martine. Le prince a besoin de vous !

– Non, ce n'est pas lui, chuchote Pepino en la tirant en arrière.

Il faut continuer nos recherches !

– Pas facile, de retrouver quelqu'un dans une ville aussi grande, soupire Martine. Surtout quand tout le monde est masqué !

– Et quand les méchants sont partout… ajoute Pepino.

– Là-haut, on nous observe ! murmure le garçon. Passons vite ce pont.
Plus loin, nous trouverons peut-être...

– Prince, l'interrompt alors Martine. Je vous aime bien, mais je ne peux
pas courir ainsi jusqu'à la nuit. Je dois m'occuper de Patapouf,
et puis on va m'attendre.

Arrêté dans son élan, le prince semble d'abord ne rien comprendre.

– Vous avez raison, finit-il par dire tristement. Vous devez rentrer.

Sur le quai du Grand Canal, les deux amis s'approchent
d'une gondole.

– L'aventure se termine pour ce soir, dit Pepino. Au revoir…

– … « Martine ». Mon prénom, c'est « Martine ».

– Au revoir, Martine !

Elle monte dans le bateau.

Pendant que la barque s'éloigne, le prince crie :

– À demain, Martine ! Je vous attendrai au même endroit. On continuera
nos recherches !

Martine sourit. Le gondolier dit alors :

– Alors, tu connais Pepino ? C'est mon petit frère !

– Votre frère ? Ce n'est pas… un vrai prince ?

– Tu sais, pendant le carnaval, tout le monde peut s'improviser une nouvelle vie… Pepino a beaucoup d'imagination, il inventerait n'importe quelle histoire pour s'amuser et se faire de nouveaux amis ! Il ne faut pas trop lui en vouloir.

Ce soir-là, deux amis rêvent sous les étoiles.

Patapouf pense à ses succès de cinéma, Martine à Pépino.

– Demain je te présenterai un prince, dit Martine.

– Un vrai prince ?

– Aussi vrai que toi, tu es un grand acteur !

Retrouve **martine** dans d'autres aventures !

martine
au parc

martine
garde son petit frère

martine
fête son anniversaire

martine
jardine

martine
fait du vélo

martine
petit rat de l'opéra

martine
à la fête des fleurs

martine
fait la cuisine

martine
apprend à nager

martine
est malade

martine
en vacances

martine
prend le train

martine
fait de la voile

martine
et le petit moineau

martine
et le petit âne

martine
fête maman

martine
en montgolfière

martine
à l'école

martine
découvre la musique

martine
a perdu son chien

martine
dans la forêt

martine
et le cadeau d'anniversaire

martine
et la sorcière

martine
un mercredi pas comme les autres

martine
la nuit de Noël

martine
déménage

martine
se déguise

martine
et les chatons

martine
et les lapins du jardin

martine
à l'hôpital

martine
baby-sitter

martine
en classe de découverte

martine
la leçon de dessin

martine
au pays des contes

martine
et les marmitons

martine
prépare une surprise

martine
l'arche des animaux

martine
princesses et chevaliers

martine
et les fantômes

martine
un amour de poney

martine
la dispute

martine
drôle de chien !

martine
protège la nature

martine
et le prince mystérieux

Casterman
Cantersteen 47, boîte 4
1000 Bruxelles
Belgique

www.casterman.com

ISBN : 978-2-203-10669-7
N° d'édition : L.10EJCN000483.A005

© Casterman, 2016
D'après les albums de Gilbert Delahaye et Marcel Marlier.
Achevé d'imprimer en juin 2019, en Roumanie par Canale
(Sos. Cernica 47, 077145 Pantelimon Jud Ilfov, Bucarest).
Dépôt légal : mars 2016 ; D.2016/0053/88
Déposé au ministère de la Justice, Paris (loi n°49.956
du 16 juillet 1949 sur les publications destinées à la jeunesse).